D0419005

AFGESCHREVEN

Redactie:	Larry Iburg
Omslagontwerp:	Erik de Bruin, www.varwigdesign.com Hengelo
Lay-out:	Christine Bruggink, www.varwigdesign.com
Foto's:	Larry Iburg (p. 27, p. 31, p. 37, p. 38), Jerry Ressa (p.13), e.a.
Druk:	Wöhrmann Print Service Zutphen

ISBN 978-90-86600-09-0

Postbus 30227
6803 AE Arnhem
www.ellessy.nl

Deel 1

Saskia Rossi

Indonesië

Inhoudsopgave

1 Kaartgegevens, natuur en klimaat

De Gordel van Smaragd

Indonesië is een deel van Azië; het ligt ten noorden van Australië, in de tropen, precies langs de evenaar. Indonesië is een bijzonder land, want het bestaat alleen maar uit eilanden omgeven door zeeën en oceanen. Heel veel eilanden: wel 17.000! Al deze eilanden liggen zo verspreid dat als je Indonesië op Europa zou leggen, Indonesië in het westen in de Atlantische Oceaan zou beginnen en in het oosten het Oeralgebergte zou bereiken. Zo heb je een idee van de uitgestrektheid van het land.
Een Nederlandse schrijver uit de negentiende eeuw, Multatuli, noemde het land: *de gordel van smaragd. Gordel* omdat het land zo langgerekt is en *smaragd* vanwege de schitterende, groene kleur van de oerwouden, plantages en sawahs (= rijstvelden).

Multatuli schreef het verhaal 'Saïdjah en Adinda'. Het gaat over een jongen en een meisje die van elkaar houden, maar heeft geen happy end. Het verhaal maakt deel uit van de 'Max Havelaar', een beroemd boek dat je misschien kunt lezen als je wat ouder bent. Meer titels van boeken die in Indonesië spelen, vind je achterin dit boekje.

De belangrijkste eilanden

Natuurlijk kent niemand de namen van alle 17.000 eilanden uit zijn hoofd – sommige zijn piepklein en onbewoond en hebben zelfs niet eens een naam! Je hoeft alleen de belangrijkste te kennen:

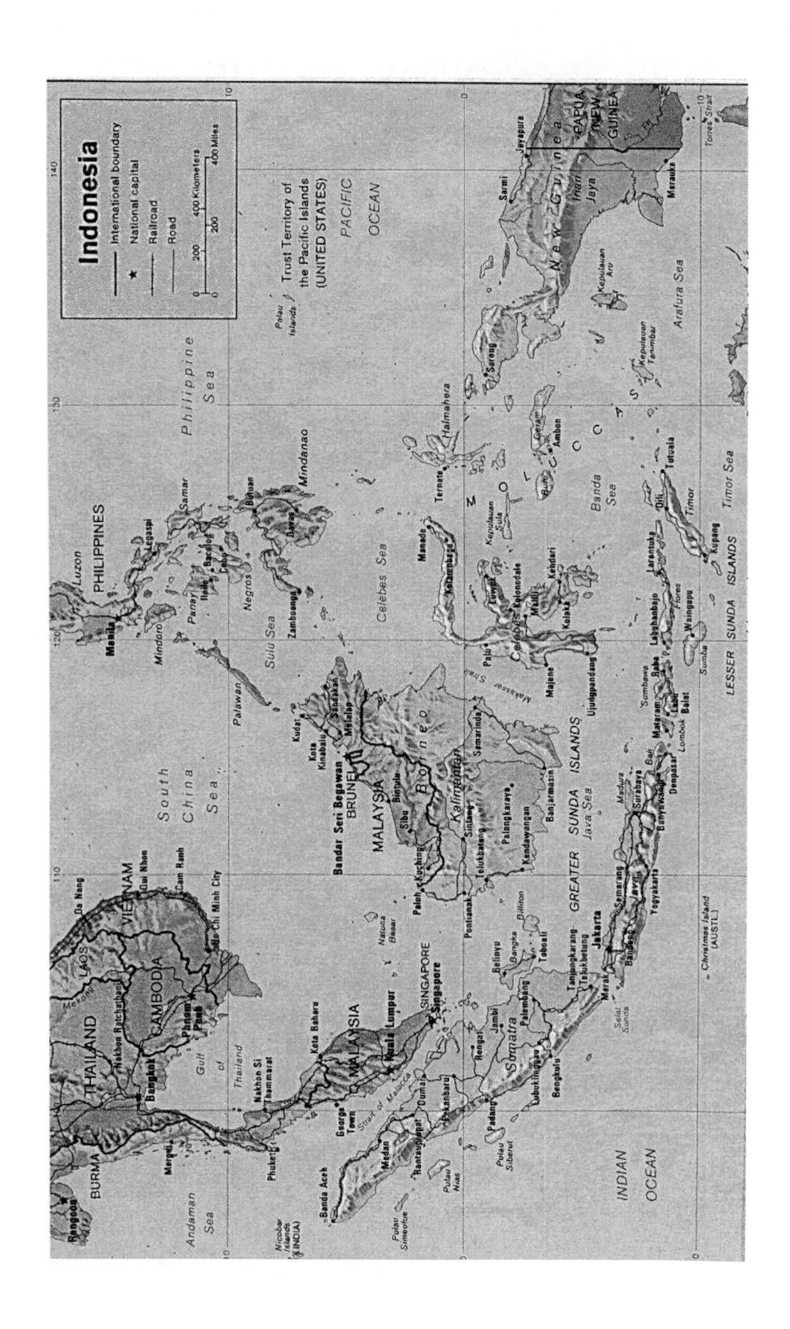
Indonesia
International boundary
National capital
Railroad
Road
0 200 400 Kilometers
0 200 400 Miles
Trust Territory of
the Pacific Islands
(UNITED STATES)
PACIFIC
OCEAN
Philippine
Sea
PHILIPPINES
Luzon
Manila
Mindoro
Panay
Negros
Samar
Mindanao
Palawan
Sulu Sea
Celebes Sea
South
China
Sea
Gulf
of
Thailand
THAILAND
Bangkok
BURMA
Rangoon
LAOS
VIETNAM
CAMBODIA
Da Nang
Ho Chi Minh City
Andaman
Sea
MALAYSIA
Kuala Lumpur
SINGAPORE
Singapore
BRUNEI
Bandar Seri Begawan
Kota Kinabalu
Strait of Malacca
Sumatra
Medan
Padang
Palembang
Jakarta
Java
Bandung
Semarang
Yogyakarta
Surabaya
Java Sea
Borneo
Kalimantan
Pontianak
Banjarmasin
Samarinda
Makassar Strait
Celebes
Ujungpandang
Manado
Halmahera
Ternate
Ambon
Banda
Sea
Timor
Kupang
Dili
Timor Sea
Bali
Denpasar
Lombok
Sumbawa
Flores
Sumba
Arafura Sea
New Guinea
Irian
Jaya
Jayapura
Sorong
Merauke
PAPUA
NEW
GUINEA
Torres Strait
GREATER SUNDA ISLANDS
LESSER SUNDA ISLANDS
INDIAN
OCEAN
Christmas Island
(AUSTL.)

- Java
- Sumatra
- Kalimantan (vroeger heette het Borneo) en
- Sulawesi (vroeger: Celebes)

Het eiland Bali met zijn exotische stranden en vele bezienswaardigheden is een populaire vakantiebestemming.
De eilandengroep Maluku, de Molukken, is in Nederland bekend, omdat er veel Molukkers of Ambonezen in Nederland wonen. De specerijen die op de Maluku groeien, waren de oorzaak van de handelstochten van de VOC; hierover lees je meer in hoofdstuk 2.
Irian Jaya, het westelijke deel van het enorme eiland Nieuw-Guinea, is een woest gebied. Toeristen mogen niet overal komen. De bewoners van Irian Jaya, de Papua's, lijken op de Aboriginals van Australië en ook de dieren die je hier vindt, lijken op die van Australië: paradijsvogels, miereneters en buidelratten.

Bijzondere planten en dieren

Op deze eilanden, in de reusachtige regenwouden en in de 150 natuurreservaten, wonen natuurlijk een heleboel dieren. Er komen grote dieren voor zoals olifanten, neushoorns, tijgers, nevelpanters, honingberen en verder een heleboel apen-, vogel- en insectensoorten. Ook slangen en krokodillen vind je op sommige plaatsen.
De *kantjil*, het dwerghert van Java, is een dier dat in veel Indonesische sprookjes een rol speelt. Enkele andere opvallende dieren: de *kalong*, vliegende hond, van de Molukken en de *doejong*, zeekoe, die in de wateren rond het eiland Aru zwemt.
Maar niet met alle dieren gaat het even goed. Bepaalde soorten zoals de *orang-oetans*, de roodharige mensapen van Borneo, worden met uitsterven bedreigd. Waarom wordt uitgelegd in hoofdstuk 5.

Op het eiland Komodo komen de toeristen om de *Komodo of reu-*

Een orang-oetan met jong

zenvaranen te zien. Dit zijn hagedisachtige vleeseters die wel drie meter lang kunnen worden. Ze zijn behoorlijk gevaarlijk; ze vallen grotere dieren zoals herten, waterbuffels en zwijnen aan en ook mensen moeten niet in hun buurt komen. Toeristen mogen dan ook alleen op pad met een ervaren gids.

In de jungle komen de prachtigste planten voor. Allerlei soorten bamboe en palmen en magnifieke orchideeën. Misschien ken je ook de insectenetende bekerplanten die in Irian Jaya groeien of heb je wel eens een plaatje gezien van de weelderige, felgekleurde bougainville.
De *Rafflesia arnoldii* is de grootste bloem op aarde met een doorsnee van bijna een meter. De bloem die heel erg stinkt weegt soms meer dan 10 kilo! Deze zeldzame bloem die diep in het oerwoud groeit, zal door het kappen en verbranden van de oerwouden op Borneo en Sumatra misschien voorgoed verdwijnen.

Tropisch regenklimaat

Een tropisch regenklimaat houdt in: hete zomers, even hete winters en het hele jaar door een hoge luchtvochtigheid. De meeste eilanden kennen een droge periode en een periode die ze *de regentijd* of *moessontijd* noemen. De gemiddelde jaartemperatuur ligt rond de 26 graden Celcius.
Toch heb je op sommige plaatsen in Indonesië een dikke jas nodig! In Irian Jaya zijn er bergen die bijna 5000 meter hoog zijn en waarvan de toppen met eeuwige sneeuw bedekt zijn. Dat had je vast niet verwacht!
De dagen en nachten zijn bij de evenaar altijd even lang. Dit betekent dat in Indonesië de zon elke ochtend om zes uur opkomt en elke avond om zes uur ondergaat – of het nu zomer of winter is.

Vierhonderd vulkanen

Indonesië heeft van alles te bieden: ongerepte regenwouden, witte zandstranden, rijstvelden en plantages, watervallen en meren, bergen en .... vulkanen.

In Indonesië zijn zo'n honderd vulkanen actief, de andere 'slapen'. Ze behoren tot de zogenaamde *Ring of Fire*, de Ring van Vuur, een cirkel van vulkanen rond de Grote Oceaan.
Enkele Indonesische vulkanen:

- de Anak Krakatau (= kind van de Krakatau) die in zee ligt, tussen Java en Sumatra
- de Gunung Agung op Bali, 3014 meter hoog
- de Gunung Merapi op Java, 2950 meter hoog en erg actief; de naam betekent: Vuurberg
- de Gunung Bromo op Java, 2392 meter hoog en heel populair bij toeristen vanwege het fantastische uitzicht vanaf de top

De oorspronkelijke Krakatau veroorzaakte in 1883 een geweldige ramp. Door de uitbarsting ontstonden er torenhoge vloedgolven die vele dorpen in de kustgebieden van Java en Sumatra verwoestten waarbij zo'n 35.000 mensen omkwamen. Later vormde zich op de plaats van de oude vulkaan een nieuwe krater: de Anak Krakatau die je nu per boot kunt bereiken.
Vele vulkanen in Indonesië kun je beklimmen. Als je avontuurlijk bent aangelegd, kun je zo dichtbij komen dat je in staat bent om omlaag te kijken in de krater. Je moet dan wel oppassen voor mogelijke giftige gassen die opborrelen uit het zwavelmeer dat zich op de bodem heeft gevormd.
Een bekend meer dat 100.000 jaar geleden ontstond na een vulkaanuitbarsting is het Tobameer in Sumatra. Dit gigantische kratermeer is het diepste ter wereld en wordt door talloze toeristen bezocht. Je kunt er heerlijk zwemmen en boottochten maken.

De Krakatau

2 Geschiedenis en staatsvorm

Indonesië vroeger

Indonesië was een van de eerste woonplaatsen van de mens. Op Java zijn de resten ontdekt van de Javamens, de Homo Erectus (een rechtop lopende voorouder van de mens, zo'n 500.000 jaar oud) en van de latere Homo Sapiens (10.000 jaar oud).

Al voor onze jaartelling had India een grote invloed op Indonesië, vooral wat godsdienst en filosofie betreft. Via India kwamen het hindoeïsme en boeddhisme naar Indonesië en daar tot grote bloei. Het hoogtepunt werd bereikt in de veertiende eeuw, de Gouden Eeuw van Indonesië, in het Majapahit-rijk.
Later verdrong de islam de Indiase cultuur. De op Java gelegen vorstensteden Yogyakarta en Solo zijn beiden ontstaan uit het islamitisch rijk Mataram uit de zestiende eeuw. Yogyakarta en Solo worden druk bezocht door toeristen vanwege hun *kraton* (= het verblijf van de sultan). Dit zijn paleiscomplexen die kostbare kunstschatten bevatten en die een toonbeeld zijn van de klassieke Javaanse architectuur. In Yogyakarta woont nu nog een sultan, Hamengkubuwono X.
Maar er zijn ook overblijfselen van de hindoeïstische en boeddhistische cultuur. Het eiland Bali is buiten India het grootste bolwerk van het hindoeïsme en de Borobudur is het grootste boeddhistische monument ter wereld. In hoofdstuk 3 lees je hier meer over.

De VOC

Indonesië is niet zomaar een land in Azië; vroeger hoorde het enige tijd bij Nederland. Het was een Nederlandse kolonie. Dit betekent dat het land geregeerd werd door Nederland en dat de bewoners moesten gehoorzamen aan de Nederlandse wetten.

Hoe kwam het zo dat Indonesië door Nederland veroverd werd? Het begon allemaal met de kruidnagels, nootmuskaat en foelie die op de Molukken groeiden en die in Europa heel geliefd waren. In de dertiende eeuw was de specerijenhandel met de Molukken nog in handen van de Arabieren. Daarna namen de Portugezen hun plaats in en in 1596 maakte Cornelis de Houtman zijn beroemde tocht naar de Oost. Deze tocht leidde tot de oprichting van de VOC, de Verenigde Oost-Indische Compagnie, in 1602.

De Batavia, een schip van de VOC,
zoals het schip is nagebouwd in Lelystad

Een van de kantoren bevond zich in Amsterdam. De 17 bazen, de Heren Zeventien, stuurden schepen naar de Oost om terug te keren met allerlei producten die niet in Nederland voorkwamen. Het ging vooral om specerijen: zwarte peper, kaneel, kruidnagels, foelie en nootmuskaat. Daarnaast sloeg men ook katoen en zijde in.

Over de VOC is een leuk boek verschenen met veel tekeningen en een heleboel informatie dat geschreven is door Vibeke Roeper. De titel vind je achterin dit boekje.

De VOC bestond bijna tweehonderd jaar (tot 1799) en in die periode zijn veel Nederlandse kooplieden heel rijk geworden. Voor Indonesië en vooral voor de inheemse bevolking betekende de VOC alleen maar ellende. Ze werden uitgebuit door de Nederlanders en, als ze niet wilden gehoorzamen, soms zelfs vermoord. Het door de Nederlanders ingevoerde 'cultuurstelsel' hield in dat de Indonesiërs een vijfde deel van hun grond moesten verbouwen met producten die voor de VOC bestemd waren. Ze hadden al niet veel te eten, maar door het cultuurstelsel hielden ze nog minder over voor zichzelf. In de negentiende eeuw veranderde de toestand voor de Indonesische bevolking niet echt. De Nederlanders hadden nu bijna het hele land in hun bezit en alles wat er leefde en groeide moest zich schikken naar hun wil. Niet iedereen was het daarmee eens. Multatuli schreef zijn boek 'Max Havelaar' als een aanklacht tegen het brute Nederlandse optreden in de kolonie.
De grootste Indonesische held uit deze periode is prins Diponegoro. Deze zoon van een Javaanse sultan vocht vijf jaar lang tegen de Nederlanders. In het laatste hoofdstuk lees je meer over prins Diponegoro en de Javaoorlog (1825-1830).

De Tweede Wereldoorlog

In 1942, toen Nederland bezet was door de Duitsers, vielen de Japanners Indonesië binnen. Vele Nederlanders en Indische Nederlanders (de afstammelingen van Nederlanders getrouwd met Indonesiërs) die daar woonden, kwamen toen in kampen terecht. Mannen in mannenkampen en jonge kinderen bij hun moeders in vrouwenkampen. Het leven in de kampen was erg zwaar. De kampbewoners moesten hard werken en kregen weinig te eten. Een heleboel mensen stierven, omdat ze verzwakt raakten en ziek werden. Over deze periode zijn talloze boeken geschreven en er bestaat ook veel fotomateriaal over.
Na 15 augustus 1945 toen er een einde kwam aan de Japanse bezetting, veranderde er nogal wat in Indonesië. De Indonesiërs wilden geen Nederlandse regering meer. Ze wilden vrij zijn. Op 17 augustus werd de onafhankelijkheid uitgeroepen. Indonesië werd een republiek met Sukarno als eerste president.

Geen kolonie meer

Nederland was natuurlijk niet blij met het verlies van hun kolonie. Ze stuurden zelfs nog soldaten overzee, omdat ze het land terug wilden hebben. Dit noemde de Nederlandse regering 'politionele acties'. De periode van september 1945 tot maart 1946 heet ook wel de bersiap-periode. *Bersiap* betekent: weest paraat. In deze chaotische periode tussen het vertrek van de Japanse bezetters en de komst van de Nederlandse soldaten werden veel Nederlanders en Indische Nederlanders vermoord. Er werd nog lang gevochten waarbij een heleboel doden vielen, maar uiteindelijk moesten de Nederlanders accepteren dat het land niet meer van hun was. De onafhankelijkheid van Indonesië werd door Nederland officieel erkend op 27 december 1949.
De laatste Nederlanders die daar nog zaten, keerden toen terug naar Nederland. Ook de Indische Nederlanders en de Molukkers die voor Nederland hadden gevochten in de oorlog, vertrokken

per schip naar het verre, koude land dat zij nooit hadden gezien. Daarom wonen er nu zoveel Indische mensen en Molukkers in Nederland en daarom is de Indische rijsttafel zo bekend geworden.

Indonesië nu

Indonesië is ook nu nog een republiek. De president (in 2006) heet Yudhoyono. Het is een moeilijk land om te regeren, omdat het zo verdeeld is. Dat kun je je misschien wel voorstellen met al die eilanden die zo ver uit elkaar liggen.
De taal die op school wordt onderwezen, is Bahasa Indonesia. Maar daarnaast zijn er een heleboel dialecten. Er zijn namelijk allerlei verschillende volken op al die verschillende eilanden; je leest hierover meer in het volgende hoofdstuk.

In de hoofdstad Jakarta op Java zetelt de regering. Dat was al zo toen het land nog een Nederlandse kolonie was. Toen heette de stad Batavia. Nu is het een wereldstad met 10 miljoen inwoners. De totale bevolking van het land heeft de 240 miljoen overschreden.
Indonesië telt 27 provincies die weer onderverdeeld zijn, met aan het hoofd een gouverneur.
De munteenheid is de *rupiah*.
De vlag van Indonesië bestaat uit een rode met daaronder een witte baan (een afbeelding zie je op de voorkant van dit boek). Rood symboliseert het bloed en wit de geest van de mens. Samen vormen ze een eenheid.
Het wapen van Indonesië tenslotte stelt een *garuda* (adelaar) voor, met in zijn klauwen een lint met de spreuk BHINNEKA TUNGGAL IKA (= eenheid in verscheidenheid of: we zijn met z'n velen, maar toch één).

3 Volk, godsdienst en cultuur

Bhinneka Tunggal Ika

De wapenspreuk geeft al aan dat het Indonesische volk eigenlijk een verzameling van vele volkeren is. Sommige volkeren hebben vroeger weinig contact gehad met andere volkeren. Ze leefden geïsoleerd op hun eiland en hadden hun eigen taal, gebruiken en gewoonten. Zo hadden ze bijvoorbeeld ook hun eigen type woning. De langhuizen van de Dayaks waren soms wel een kilometer lang! Daar woonde het hele dorp in.
Paalwoningen werden gebouwd door vele stammen zoals de Batak en de Dayaks. Een huis op palen bood bescherming – tegen gevaarlijke dieren en vijandelijke stammen. Want er werd vroeger nogal eens oorlog gevoerd tussen de verschillende stammen. De Toba Batak van Sumatra en de Dayaks van Borneo waren gevreesde koppensnellers. Tijdens de Nederlandse overheersing werd het koppensnellen verboden. Ook veel van het mooie van hun cultuur is verdwenen, maar de paalwoningen zijn gelukkig nog bewaard gebleven.
Andere stammen met een heel eigen identiteit en kenmerkende bouwstijl zijn de Minangkabau van Sumatra, de Toraja van Sulawesi en de Papua's (of Papoea's) van Irian Jaya.
Tegenwoordig probeert men deze culturele verscheidenheid te behouden in plaats van allerlei gebruiken af te schaffen.

Dan is er in Indonesië nog een duidelijke minderheidsgroep: de Chinezen. Chinezen zijn veelal winkeliers, restauranthouders en bankiers. Wegens hun zakelijk succes en hun rijkdom wekken ze wel eens jaloezie op bij het Indonesische volk. Die jaloezie was in het verleden zo erg dat bij relletjes Chinese winkels werden verwoest en Chinese mensen in elkaar werden geslagen of zelfs vermoord.

Godsdienst

Indonesië is nu voor 90% islamitisch; dit betekent dat je overal in het land moskeeën kunt vinden en dat er wordt gevast tijdens de *Ramadan*. Indonesië is zelfs het grootste islamitische land ter wereld. Maar zoals je al eerder hebt kunnen lezen, waren voor de komst van de islam het hindoeïsme en boeddhisme al aanwezig in het land.

Een overblijfsel van de boeddhistische cultuur is de Borubudur, een gigantisch bouwwerk op Midden-Java. Het is een indrukwekkend monument in de vorm van een piramide, gebouwd rond 800.

De Borubudur

Het bestaat uit stenen terrassen verbonden door trappen, en versierd met stupa's, een soort opengewerkte stenen stolpen waarin een boeddhabeeld verborgen zit. Het zou geluk brengen als het je lukt het beeld aan te raken.
De Borobudur stelt een berg voor en is een bedevaartplaats voor pelgrims. De verschillende niveaus of verdiepingen geven de geestelijke reis van de pelgrims weer. Op de top heb je volmaaktheid bereikt.

Een maquette van de Borobudur vind je in Museum Bronbeek te Arnhem. Een ander interessant museum dat van alles over Indonesië laat zien, is Museum Nusantara in Delft. De adressen vind je achterin het boekje.

Het hindoeïsme heeft zich vooral verspreid op Bali; hieronder lees je er meer over.

Bali

Dit paradijselijke eiland neemt een heel aparte plaats in. Terwijl de rest van Indonesië de islam aanhangt, zijn 90% van de Balinezen hindoeïstisch. Het hele leven op Bali wordt sterk bepaald door het geloof met plechtige familie- en dorpsrituelen, tempelvieringen, feestelijke dansen en processies en lijkverbrandingen. Crematies op Bali zijn geen trieste bedoening, maar juist heel kleurrijk en uitbundig. Vrouwen dragen kunstige 'torens' met offergaven (vruchten en bloemen) op hun hoofd en varkens en buffels worden geslacht.
Ook de *Kecak* (de 'c' spreek je uit als 'tj', dus: ketjak), de beroemde Apendans, uitgevoerd door soms wel 200 mannen die rond elkaar in een kring zitten, heeft een godsdienstige inslag. De mannen brengen het Apenleger uit het Ramayana (een Indiaas dichtwerk) tot leven.
De vulkaan *Gunung Agung* is de heilige berg waar de goden

wonen, een centrum van hemelse kracht. Hier vind je het belangrijkste heiligdom van Bali, de *Pura Besakih*, een geweldig complex van tempels.
Bali is altijd in trek geweest bij kunstenaars. Veel westerse schilders gingen er lange tijd wonen, omdat ze er zoveel moois zagen dat ze wilden vastleggen. Onderwerpen waren bijvoorbeeld het lieflijke landschap, orchideeën en tropische vruchten, maar ook de religieuze ceremonies en de slanke, sierlijke danseressen. De plaats Ubud met zijn vele musea en galeries is het artistieke middelpunt van Bali.
Horden toeristen bezoeken het eiland om dit ongelofelijke culturele aanbod, maar ook om de palmenstranden. Kuta, Sanur en Nusa Dua zijn drukke, populaire badplaatsen met hotels, bars en discotheken waar vooral veel jongeren komen.

Kunstvormen

Dans
Voor een westerling zijn de dansen op Java en Bali soms moeilijk te begrijpen. Anders dan bij ons hebben alle bewegingen van handen, voeten en hoofd van de dansers een speciale betekenis. Er zijn klassieke hofdansen, tempeldansen en dansen die vooral worden opgevoerd voor de toeristen.

Wayang
Wayang is een poppenspel. Het kent verschillende uitvoeringen, maar het bekendst is *wayang kulit*, een schimmenspel, waarbij platte poppen worden bewogen achter een scherm. Door het licht dat van achteren naar voren schijnt, kan het publiek genieten van bewegende schaduwen.
Bij andere vormen van wayang worden poppen gebruikt die meer doen denken aan 'onze' poppenkast en ook wel spelen er echte (gemaskerde) mensen in wayang.

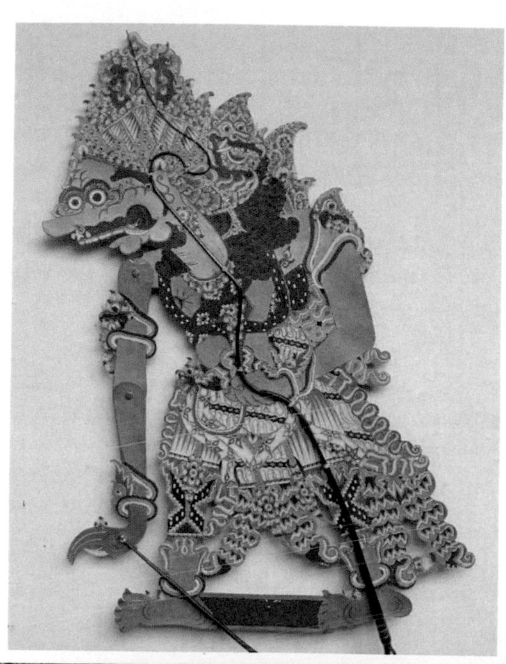

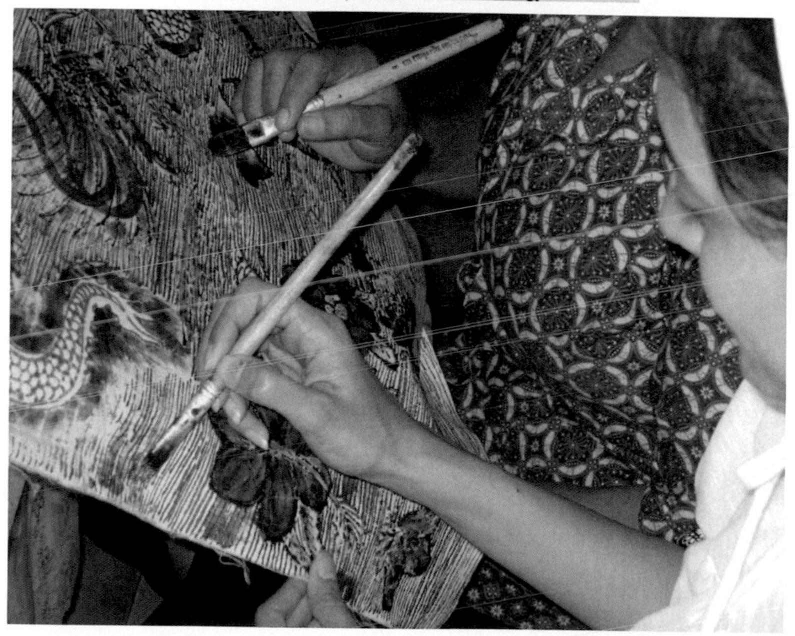

Gamelan

De gamelan is een uitgebreide verzameling slaginstrumenten of klankkasten met bronzen of houten toetsen. Andere instrumenten die vaak meedoen zijn: trommels, lichte fluiten, gongs en bronzen klankschalen. De klanken kunnen licht en speels zijn als van een xylofoon en dan weer diep en zwaar door de grote gong.
De gamelan wordt gebruikt als levende muziek om wayang en dansuitvoeringen te begeleiden.

Batik

Batik betekent: met was tekenen. Op witte stof kun je in een bepaald patroon (bijvoorbeeld bloem- of dierenmotieven) was aanbrengen. De was dekt de stof op die plaatsen af. Dus als de stof een verfbad krijgt, wordt het patroon niet gekleurd. Dit kun je een aantal keren herhalen met meerdere kleuren. Van de stof kun je dan later kleren maken. Een plaats die bekend staat om de mooie, kleurige batik is Pekalongan op Java.

Houtsnijwerk en smeedkunst

De plaats Japara is het centrum van houtsnijwerk op Java. Hier worden meubels en panelen gemaakt. Maar er worden ook vele andere dingen van hout gesneden zoals maskers, schilden en beelden van dieren en demonen.
Metaal wordt met evenveel fantasie bewerkt. Toeristen zijn dol op de verfijnde zilveren en gouden sieraden die af en toe versierd zijn met halfedelstenen. Een souvenir dat door bijna elke toerist wordt gekocht, is de *kris*, een dolk die – zo gaat het verhaal – over magische krachten kan beschikken.

4 Middelen van bestaan

Toerisme

Zoals je in het vorige hoofdstuk hebt kunnen lezen, vormt het toerisme een aanzienlijke bron van inkomsten.
Indonesië trekt elk jaar opnieuw veel Nederlanders. Ze maken dikwijls een rondreis waarbij Java (o.a. de Borobudur, Yogyakarta en Solo, de Bromo- en Merapivulkaan), Sumatra (Tobameer) en Bali op het programma staan. Vele van deze Nederlanders hebben vroeger in Indonesië gewoond of hebben erover horen vertellen door hun ouders.
Maar het zijn natuurlijk niet alleen Nederlanders die naar Indonesië gaan, ook veel Australiërs - de jongeren surfen graag op Bali en het is redelijk dichtbij -, Japanners, Amerikanen en verder iedereen die iets van de tropen wil zien.

> *Tip: als je een werkstuk aan het maken bent over Indonesië, moet je eens naar een reisbureau gaan en om folders vragen. Daar staan vaak prachtige kleurenfoto's in van adembenemende landschappen, tempels, danseressen in sprookjesachtige kostuums enz.*

Door het toerisme heeft de provincie Bali het hoogste gemiddelde inkomen van Indonesië. Al moet je je daar niet veel van voorstellen. De rupiah is immers niet veel waard: 10.000 rupiah is nog niet eens 1 euro! Vergeleken met Nederland verdienen de mensen in Indonesië maar een schijntje. Indonesië is dan ook een arm land, maar het is wel rijk aan grondstoffen zoals aardolie en aardgas.

Grondstoffen

Tot de voornaamste exportproducten van Indonesië behoren *aardolie en aardgas*. Ook het winnen van steenkool is van belang.

Verder heeft het land onvoorstelbare voorraden aan mineralen: tin, koper, nikkel, goud en bauxiet.
Hout is een ander artikel dat naar alle delen van de wereld wordt verscheept. Met alle nare gevolgen van dien – het tropische regenwoud verdwijnt met een schrikwekkende snelheid. Wat dit betekent voor de dieren die daar leven, de mensen en het klimaat lees je in het volgende hoofdstuk.
De vele voedingsmiddelen die worden uitgevoerd, zijn het resultaat van de gouden combinatie van vruchtbare, vulkanische grond en alle dagen zon.

Landbouw

Ongeveer de helft van de arbeidskrachten in Indonesië is werkzaam in de landbouw. Rijst staat op de eerste plaats; het wordt in Indonesië elke dag gegeten, dus is het een geluk dat met zo'n groeiende bevolking de grond zo vruchtbaar is. Rijst wordt overal verbouwd, zowel in laaggelegen gebieden als in bergstreken. Er zijn twee soorten rijstakkers: *sawahs* (natte rijstvelden) en *ladangs* (droge rijstvelden). Sawahs bevinden zich meestal tegen hellingen en zien eruit als brede, golvende, groene traptreden. Het planten en oogsten van de rijst gebeurt nog steeds met de hand. Karbouwen of waterbuffels trekken de ploeg.
Ladangs worden gevormd door het afbranden van het oerwoud. Daarna wordt de grond bemest en beplant. Door deze methode raakt de akker echter al gauw uitgeput en kan niet meer gebruikt worden. De boer trekt daarop naar een ander stuk grond, de jungle neemt de verlaten akker over en na tien jaar komt de boer weer terug, steekt het bos in brand en de cirkel begint weer bij het begin.
Andere plantaardige producten die worden uitgevoerd (geëxporteerd) zijn: koffie, cacao, sojabonen en rubber. Nog meer exportartikelen: suiker, bananen, thee, palmolie, tabak, orchideeën en, nog steeds, specerijen zoals nootmuskaat.

Visserij en industrie

Met zoveel eilanden en zoveel kusten is het logisch dat er veel wordt gevaren en gevist. Gezouten vis is een vast onderdeel van het Indonesische menu.

De zware industrie is zich snel aan het ontwikkelen in Indonesië. Er worden onder meer auto's, treinen, schepen en vliegtuigen gebouwd. Ook neemt de productie van elektronische apparaten steeds meer toe. Andere exportartikelen zijn: textiel en kleding en meubels. Japan is de grootste handelspartner van Indonesië.

jonge rijstplanten

5 Problemen en gevaren

Overbevolking

Bijna 60 % van de totale bevolking woont op Java. Je kunt je voorstellen dat die hoge bevolkingsdichtheid voor een heleboel problemen zorgt: woningnood, werkeloosheid, misdaad, verkeersoverlast in de grote steden, vervuiling en een aanslag op de natuur, omdat mensen immers ruimte nodig hebben.
Transmigrasi is de naam van het plan om de bevolking van dichtbevolkte gebieden te verplaatsen naar dunbevolkte eilanden zoals Kalimantan en Irian Jaya. Dat plan dat in 1969 voor het eerst werd uitgevoerd door de regering onder president Suharto, is niet helemaal geslaagd. Het levert nu eenmaal ontzettende spanningen op om miljoenen mensen, dikwijls tegen hun wil, te laten verhuizen.
Er is ook een programma voor geboortebeperking. Dit plan dat ook door president Suharto werd opgesteld om de bevolkingsgroei van Indonesië in te dammen, slaat wel aan. Het motto *'dua cukup'* (twee is genoeg) heeft succes. Er worden nu per gezin minder kinderen geboren. Dat is gunstig, want er wonen zoveel mensen in Indonesië en al die mensen moeten wonen, werken en eten.

Kinderarbeid en kinderhandel

Zoals in alle arme landen ter wereld moeten kinderen in Indonesië vaak meehelpen om de kost te verdienen. Een elfjarig kind moet dan bijvoorbeeld op straat koekjes verkopen die zijn of haar moeder heeft gebakken. Dat is op zich niet zulk zwaar werk, maar eigenlijk zou het kind naar school moeten gaan. Erger is het wanneer jonge kinderen vuil of gevaarlijk werk moeten verrichten, in fabrieken of mijnen. Helemaal erg is het wanneer het gezin zo arm is dat het een kind moet verkopen. Dit gebeurt overal ter wereld. Soms moeten de kinderen dan bij iemand als huisslaafje heel hard

werken of ze komen terecht in de seksindustrie. Gelukkig vechten vele organisaties tegen kinderarbeid en tegen kinderhandel.
Door de armoede zie je in Indonesië ook veel kinderen bedelen en een aantal kinderen dat zakkenrollen geleerd heeft, hoort bij een jeugdbende.

Bomaanslagen en politiek geweld

Sinds kort speelt er een probleem in Indonesië dat met het geloof te maken heeft. De bevolking van Indonesië bestaat voor de overgrote meerderheid uit islamieten en dat heeft eigenlijk nooit moeilijkheden opgeleverd. De islam in Indonesië had altijd een zachtaardig, vreedzaam karakter, maar nu niet meer. Na de aanslag op het World Trade Center in New York weten terroristische bewegingen fanatieke Indonesiërs op te zwepen en aan te zetten tot gewelddadige acties. Op deze manier wordt godsdienst misbruikt voor het doden van onschuldige mensen.
Op 12 oktober 2002 ontplofte een bom in het uitgaansgebied van Kuta op Bali. Er vielen 187 doden waaronder veel jonge Australiërs. De schrik en de verontwaardiging over de hele wereld was heel groot. Een gevolg was dat de toeristen die gewoonlijk naar Bali kwamen, wegbleven. Dit betekende voor de vele Balinezen die in hotels en restaurants werkten een zware slag. Nu moesten ze met nog minder inkomsten zien rond te komen. Net toen het toerisme zich herstelde, ontplofte er in 2005 weer een bom, nu bij de Australische ambassade in Jakarta: 25 doden.
Maar het geweld tegen de bevolking komt niet alleen van de kant van de islam. De regering van Indonesië zelf maakt zich schuldig aan schending van de mensenrechten. Het leger heeft veel macht in Indonesië en in bepaalde gevallen misbruiken ze hun wapens. Zo treden ze wel heel hard op tegen demonstranten; het gebeurt zelfs dat ongewapende burgers worden gedood.
Met de vrijheid van meningsuiting is het ook slecht gesteld. Het is gevaarlijk kritiek te hebben op het leger of de president. Journalisten moeten voorzichtig zijn met wat ze schrijven.

Gevangenen worden soms gemarteld. Amnesty International is een van de organisaties die signaleren wat er mis gaat in Indonesië.

Aardbevingen en vulkaanuitbarstingen

Van de vulkaanuitbarstingen - geen wonder met honderd actieve vulkanen - liggen de meeste Indonesiërs niet wakker. Ze zijn opgegroeid met deze dreiging en tegenwoordig is het gelukkig zo dat een uitbarsting tijdig kan worden voorspeld, zodat de mensen zich in veiligheid kunnen brengen. Dat gebeurde ook in 2006 toen de gevaarlijke Merapi weer flink zat te donderen. Trouwens, een vulkaanuitbarsting betekent niet alleen maar ellende. Door de mineraalrijke as wordt de grond heel vruchtbaar, dus dat is weer een voordeel!
Ook aardbevingen komen regelmatig voor in Indonesië; de laatste vond kort geleden plaats, in mei 2006 op Java. Meer dan 5000 mensen verloren hierbij het leven.
Waar de inwoners de meeste angst voor hebben, zijn de vloedgolven die kunnen ontstaan na een zeebeving. De verschrikkelijke *tsunami* (= havengolf) van tweede kerstdag 2004 trof een ongelofelijk groot gebied: er vielen honderdduizenden slachtoffers in de kustgebieden van onder andere Thailand, India en Madagascar. In Indonesië was het vooral de plaats Aceh, in de noordpunt van Sumatra, die toen zwaar werd getroffen. In juli 2006 was het opnieuw raak: weer kreeg Java een hoop narigheid over zich heen, letterlijk, in de vorm van vloedgolven waarin honderden mensen verdronken.

Vernietiging van het tropisch regenwoud

Door de groei van de bevolking is een groot deel van de oerwouden verdwenen om plaats te maken voor de aanleg van palmolieplantages en andere plantages of akkers. Ook de jacht op 'het groene goud' (hout om te verkopen) betekent een ramp voor het tropische regenwoud. Door het kappen van de bomen neemt

Balinese danseres

de erosie (= het armer worden van de grond) toe. Een ander negatief gevolg is dat met de bomen ook vele dieren dreigen te verdwijnen.

Op Borneo is de houtkap zo enorm in omvang dat de orang-oetans dreigen uit te sterven. Orang-oetans zijn heel vriendelijke, rustige mensapen die bijna nooit op de grond komen. Dus als je de bomen kapt, maak je eigenlijk hun woning kapot.

2005 was het jaar van Borneo; er is toen door het Wereld Natuur Fonds een campagne gestart om de bossen van Borneo te behouden en de orang-oetans te redden. In 2006 is door Indonesië, Maleisië en Brunei een plan opgesteld om de 22 miljoen hectare regenwoud van Borneo te beschermen. Dit plan heet het 'Hart van Borneo Initiatief' en is in mei 2006 ondertekend door de drie landen tijdens een vergadering van de Verenigde Naties.

Want niet alleen dieren zijn de dupe van de houtkap; het klimaat over de hele wereld wordt verstoord door de vernietiging van de regenwouden, de groene longen van de aarde. De meeste mensen beseffen dit heel goed en doen hun best om het kostbare natuurgebied te redden. Maar dat is niet gemakkelijk, want door de uitdroging van de grond doet zich nog een probleem voor: bosbranden. In 1997 waren er zoveel hevige bosbranden dat de lucht zwart zag van de rook en de mensen in de steden met kapjes voor hun mond liepen.

Zoals je ziet, is Indonesië een land met veel armoede en problemen, maar tegelijkertijd een land met veel mogelijkheden, met waardevolle schatten die beschermd moeten worden en een unieke voorraad aan schoonheid.

6 Beroemde namen

Sporters, schrijvers en andere artiesten

Op het gebied van sport is het vooral badminton waarin Indonesië uitblinkt. Indonesische badmintonspelers beheersen al een hele tijd de wereldtop. Op de Olympische Spelen van 1992 behaalde Susie Susanti goud voor de vrouwen en Allen Budi Kusuma goud voor de heren. Het waren de eerste Olympische medailles ooit voor Indonesië en de winnaars werden dan ook als helden binnengehaald. Mia Audina won als zestienjarige zilver op de Olympische Spelen van 1996 en acht jaar later haalde ze weer zilver. Ze woont nu in Nederland en komt voor Nederland uit.
Er wonen in Nederland wel meer mensen met een Indonesische achtergrond die behoorlijk veel succes hebben, zoals de (in Nederland geboren) pianist Wibi Soerjadi. Zijn concerten worden overal ter wereld druk bezocht. Thé Tjong-Khing, die in Indonesië geboren is, ken je misschien ook. Zijn illustraties voor kinderboeken zijn diverse malen bekroond, onder andere met drie Gouden Penselen.
Een dichter van wie het gedicht '*Aku*' (= ik) op een muur in de Kernstraat te Leiden staat afgedrukt, is Chairil Anwar. Deze vurige dichter die de Japanse bezetting van dichtbij meemaakte, is maar 27 jaar oud geworden. Veel ouder is de romanschrijver Pramudya Ananta Tur geworden. Hij heeft de tijd gehad om tientallen boeken te schrijven die over de hele wereld zijn vertaald. De thema's die in zijn werk voorkomen, hebben ook met de oorlog te maken, met geweld, onderdrukking en onrecht.
Hieronder lees je meer over drie personen die een belangrijke rol hebben gespeeld in de Indonesische geschiedenis. Overal in Indonesië zijn er standbeelden van hun te vinden en ontelbare scholen, straten en pleinen dragen hun naam.

Prins Diponegoro

De oudste zoon van de sultan van Yogykarta kwam in 1825 in opstand tegen de Nederlanders. De directe aanleiding was het feit dat de Nederlanders een weg aanlegden over zijn landgoed, maar daarvoor bestond er al heel veel onvrede over het optreden van de Nederlanders. Tegen de Javaanse *adat* (gebruiken, wetten) was keer op keer door de Nederlanders gezondigd en uiteindelijk was de maat vol. Na lang te hebben gemediteerd besloot prins Diponegoro een heilige oorlog tegen de Nederlanders te voeren.
Hij hield dit vijf jaar lang vol. Op Midden-Java leidde hij een soort van guerilla-oorlog op zo'n slimme wijze dat de Nederlanders er op een gegeven moment zelfs aan dachten te vertrekken. Maar een generaal bedacht een list: hij vroeg Diponegoro te komen onderhandelen en tijdens die onderhandeling werd de prins ondanks de witte vlag gevangengenomen. Dit betekende het einde van het verzet en de macht van de Javaanse adel was voorgoed gebroken.
Diponegoro werd naar Celebes verbannen waar hij later stierf. Zijn graf te Makassar is nu een nationaal monument. Vlakbij Yogyakarta staat een museum dat gewijd is aan Diponegoro, de grote held uit de Javaoorlog. De krissen van de prins worden hier vol eerbied bewaard.

Raden Ayu Kartini

Raden Ayu Kartini werd in 1879 geboren op Java. Haar familie behoorde tot de Javaanse adel en was redelijk modern, want Kartini mocht als kind naar een Nederlandse lagere school. In die tijd was het heel ongebruikelijk dat een Indonesisch meisje naar school ging. Toen Kartini twaalf werd, was het echter afgelopen met haar schoolopleiding. Vanaf die tijd moest ze thuis blijven en zich voorbereiden op haar huwelijk. Maar Kartini had Nederlands geleerd en dus kon ze brieven schrijven met haar Nederlandse vriendinnen en ze kon.... lezen! Ze las onder andere de 'Max

Twee krissen

Havelaar' van Multatuli en vele andere boeken die haar iets leerden over de rechten van vrouwen en meer in het algemeen over gelijke rechten voor alle mensen. Het knappe van Kartini was dat ze het bijna helemaal alleen deed; ze bleef zichzelf ontwikkelen door te lezen, na te denken en te schrijven over haar ideeën.
In 1903 moest ze trouwen van haar vader, maar gelukkig begreep haar man haar moderne opvattingen. Met zijn steun opende ze de

eerste school voor Indonesische meisjes. In 1904 stierf Kartini vlak na de geboorte van een zoon.
Haar brieven werden gebundeld en in Nederland uitgegeven in 1912 met als titel 'Door duisternis tot licht.' In 1964 bepaalde de toenmalige president Sukarno dat 21 april, Kartini's geboortedag, voortaan een nationale feestdag zou zijn. Kartini Day eert de jonge vrouw die opkwam voor het recht van vrouwen én mannen op onderwijs, ontwikkeling en vrijheid.

Sukarno

De man die de eerste president van Indonesië zou worden, werd geboren in Surabaya, Oost-Java, in 1901. Sukarno – veel Javanen hebben maar één naam – kon goed leren en sprak meerdere talen vloeiend. Tijdens zijn studie kwam Sukarno al gauw in contact met nationalisten (mensen die tegen de Nederlandse overheersing waren en voor een vrij, onafhankelijk Indonesië).

In 1927 werd hij de leider van de PNI, de *Partai Nasional Indonesia*. Vanwege zijn politieke ideeën werd hij meerdere malen door de Nederlanders gearresteerd en gevangen gezet. In totaal zou hij 12 jaar van zijn leven in gevangenschap doorbrengen. Toen de Japanners het land binnenvielen, zat Sukarno ook in de gevangenis. De Japanners haalden hem eruit, omdat zij zijn hulp konden gebruiken. Later legde Sukarno uit dat hij de Japanners alleen maar hielp, omdat hij zo hoopte op vrijheid voor het Indonesische volk. Hoe dan ook, nadat Japan verslagen was, werd Sukarno president van de *Republik Indonesia Serikat*. Dat was natuurlijk geen gemakkelijke taak. Al gauw landden er Nederlandse troepen die hun vroegere kolonie wilden terugveroveren. Daarna vonden er andere gevechten plaats waarbij vele doden vielen zoals de strijd met Nederland om Nieuw-Guinea. (Uiteindelijk kwam het in 1963 in Indonesische handen.)
Ook werden er verschillende aanslagen op Sukarno gepleegd, maar hij bleef steeds ongedeerd. In 1965 echter brokkelde zijn

Sawah

macht af. Het begon met de geheimzinnige moorden op zes van zijn generaals. Deze moorden zijn nooit opgelost. Het leger, met generaal Suharto als sterke man, nam bloedig wraak op de communisten die de schuld van alles kregen. Maar ook gewone bur-

In stoet naar de tempel om offers te brengen

gers sloegen aan het moorden, zelfs op Bali. In 1967 volgde Suharto Sukarno op als president.
Jaren later zou Sukarno's dochter, Megawati Sukarnoputri, voor korte tijd president van Indonesië worden, van 2001 tot 2004.

Haar verkiezing had zij voor een groot deel te danken aan de popülariteit van haar vader, voor velen een onvergetelijke leider. Hij nam misschien niet altijd de juiste beslissingen, maar hij maakte indruk door zijn persoonlijkheid en zijn hartstochtelijke toespraken. En als president probeerde hij Indonesië te veranderen, van een ex-kolonie in een modern, onafhankelijk land. Waarschijnlijk is er meer tijd voor nodig en zeker meer goede wil van alle kanten om van Indonesië ook politiek gezien een paradijs te maken. Een paradijs waar alle bevolkingsgroepen vreedzaam en veilig met elkaar kunnen leven.

Nog meer informatie; bronnen voor dit boekje

Romans en verhalen

Marion Bloem:

De droom van de magere tijger
Amsterdam, Leopold, 1996. ISBN 9025831753

Wieteke van Dort:

De kleine visser van Banda
Amsterdam, Leopold, 1993. ISBN 9025832466

Kind in Surabaya
Baarn, De Fontein, 2003. ISBN 9026119208

Ruud Spruit:

De heks van Bali
Amsterdam, Leopold, 1995. ISBN 9025844944

Peter Vervloed:

De macht van de krokodil
Amsterdam, Elzenga, 2000. ISBN 9066922915

De tranen van Banjir (verhalenbundel),
Kampen, La Rivière & Voorhoeve, 1993.
ISBN 9038405855

Onzichtbare krachten
Baarn, De Fontein, 2005.
ISBN 9026131399
e.v.a.

Informatief

Bill Dalton:
Reishandboek Java en Bali
Rijswijk, Elmar, 1996. ISBN 9038902255

Vibeke Roeper:
Zwarte peper, scheurbuik, kinderen op reis met de Verenigde Oost-Indische Compagnie
Querido, Amsterdam, 2002. ISBN 9021479648

Martijn de Rooi:
Indonesië, Periplus pocket reisgids
Alphen aan de Rijn, The Ad Agency, 1996.
ISBN 0945971915

Musea

Bronbeek, Velperweg 147, 6824 MB Arnhem
Koninklijk Tehuis van Oud-Militairen en Museum
www.bronbeek.nl

Nusantara, St. Agathaplein 4-5, 2611 HR Delft
www.delftmusea.nl

Tropenmuseum, Mauritskade 63, 1092 AD Amsterdam
www.kit.nl (kijk op de website of er een tijdelijke expositie over Indonesië wordt gehouden)

Rijksmuseum van Oudheden, Rapenburg 28,
2311 EW Leiden
www.rmo.nl

Internet

www.indonesiepagina.nl

www.indonesie.nl

www.vulkanen.nl

www.jeugdbieb.nl
Typ in het vak *Zoeken* de letters 'VOC' in, klik op *Search* en je komt op een pagina met allerlei informatie over de VOC.

www.wnf.nl
Typ in het vak *Zoeken* rechts bovenaan de trefwoorden 'Borneo school' en klik op de pijltjesknop. Je krijgt dan veel informatie over de regenwouden en ook over een educatief project voor basisscholen: Borneo-Nederland.

www.kit.nl
Klik in de balk bovenaan het scherm op *Bibliotheek & Publicaties* en daarna op *KIT Publishers*. In het scherm dat dan verschijnt, klik je *Kinderen & educatie* aan. In het volgende scherm kun je *Onvergetelijk Indië* kiezen. Dit is een project voor groep 7 en 8 van basisscholen en het gaat over de jaren 1936-1949, dus de periode voor, tijdens en na de Japanse bezetting.

Reeds verschenen in de WWW-Terra reeks:

Deel 2 Tibet
Esther Nederlof
ISBN 978-90-86600-10-6

Deel 3 Oostenrijk
Yono Severs
ISBN 978-90-86600-11-3

Deel 4 Friesland
Yono Severs
ISBN 978-90-86600-12-0

Deel 5 Canada
Pauline Wesselink
ISBN 978-90-86600-13-7